Mar de (L)una

FERMINA PONCE

Maestro Juan Gustavo ———.
Este libro va lleno de epidermis,
de mis batallas diarias, de las
dulces conquistas, pero de inmensa
gratitud a mis maestros, como
usted ———.

Gracias por nuestros cafecitos
con rosas amarillas, por creer en
mis versos, por escucharme y
por dejarme estar cerca a usted.
        con todo mi amor y
        admiración ———.
        Femina Ponce.

Bogotá, Abril 28/17 ———.

Mar de (L)una

FERMINA PONCE

Prólogo
Juan Gustavo Cobo Borda

♦

Ilustraciones
Lee Zimmerman

EDITORIAL OVEJA NEGRA

FUNDADA EN 1969

1ª edición: abril de 2017

ISBN: 978-958-06-1364-0

Acuarela portada: Alicia Blanco

Ilustraciones: Lee Zimmerman

Impreso por Periódicas SAS

Impreso en Colombia – Printed in Colombia

"(…) Te quiero, te quiero, te quiero,

con la butaca y el libro muerto,

por el melancólico pasillo,

en el oscuro desván de lirio,

en nuestra cama de luna

y en la danza que sueña la tortuga..."

Federico García Lorca

A mis hijos
Nicolas y Francesco

Con los años y los daños, la gratitud se vuelve una palabra tan grande y un acto de amor que se vive a diario en la gracia Divina. Debe ser por eso que cuando pienso en dar las gracias me voy a lo más profundo de la entraña; entre la medula y el alma, ahí donde no hay nada escondido y tampoco existe el acto de contrición.

AGRADEZCO

a mis hijos por ser mi razón

a Daniel por haberme enseñado a ser fuerte y a encontrar mis alas

a mis padres y hermano por estar siempre, incluso cuando yo no he estado

a mis tíos Javier y Esneda por no rendirse en mi silencio

a las hermanas que me parió la vida

a mis lectores

a mis maestros.

Porque con sumercé, cada conversación es un infinito aprendizaje.

Y desde siempre, Lucula, ha sido crecer...

FERMINA PONCE

Golpeada por la realidad, recortadas sus alas, la voz que aquí habla intenta remontar lo rastrero y apagado de toda vida con su ímpetu verbal. Está rota, pero trata de escapar de la jaula. Se entrega a esas causas políticamente correctas, pero en realidad la poesía no les sirve a ellas. Solo queda el espejo fragmentado y el cuerpo con arrugas y cicatrices. La entrega en el agua que redime y la mirada desprevenida de la luna. Ese espacio donde Fermina Ponce intenta su palabra verdadera que es denuncia y conformidad, aceptación y ruptura. La perpetua duda y la consolación de la música.

En un mundo de consumo y siglas en inglés, una mujer aspira a que su cuerpo hable por ella y la defina, como toda honesta poesía.

Juan Gustavo Cobo Borda

Fermina Ponce • *Bogotá, Colombia (1972)*

Consultora, poeta y misionera.

Fermina Ponce, fundadora de Kintsugi Effect, LLC, una organización centrada en sacar lo mejor de las personas y organizaciones a través de la reparación de lo roto. Su modelo de liderazgo y comunicación afirma que "el kintsugi es el origen de la resiliencia" y "la vulnerabilidad nos hace más fuertes".

Como entrenadora de desarrollo de liderazgo y comunicación, Fermina trae más de dieciséis años de experiencia global a sus clientes. Es oradora pública bilingüe, cuyas capacitaciones de liderazgo han contado con la presencia de más de 3.000 empleados y líderes de América Latina, Estados Unidos de América y Europa.

Comunicadora Social y Periodista; y Especialista en Gerencia de la Comunicación Organizacional de la Universidad de la Sabana, Bogotá, Colombia.

Durante los últimos cuatro años, ha servido como intérprete médico en viajes de misiones a Honduras y recientemente como vicepresidente de la Fundación "*Fig Factor*".

Autora del poemario **Al Desnudo** - Editorial Oveja Negra -, presentado durante la Feria Internacional del Libro en Bogotá, FilBo 2016, posteriormente en el Instituto Cervantes de Chicago y en la Universidad de Guanajuato, México. Ha sido reconocida como finalista en concursos literarios en Argentina.

@ferminaponce

fermina_ponce@yahoo.com

 **Lee Zimmerman** • *Twins Falls, Idaho (1960)*
Lee Zimmerman es un reconocido artista plástico y doctor en ingeniería, residente en el Estado de Minnesota, Estados Unidos de América.

Ha escrito artículos de informática, psicología experimental, ingeniería y arte.

Artista de Seda Distinguido por S.P.I.N. (Organización Internacional de Pintores de Seda). Ha recorrido el mundo junto a grandes orquestas sinfónicas y bandas de flamenco, pop y jazz en un espectáculo que fusiona la música con el arte plástico.

Sus dibujos y pinturas son disfrutados por una audiencia creciente en twitter bajo el nombre @zim2918

De la autora

Escribo

Escribo para redimir mi pecado, cauterizar los demonios y sus tormentas que duelen en las mañanas, para robar la belleza sin ser castigada por la justicia, para inventarme mundos sin prejuicios o vergüenzas, para cruzar mil veces la raya y encontrar al otro lado la paz.

Escribo para reconocer un mundo con matices, acechando como un felino, con desparpajo, sin dueño y regresando para buscar abrigo; como el rayo de luna que seduce a la noche entregando todo en pieles abandonadas.

Escribo para doler mientras mi todo sangra, y me entrego entera así me destroce a pedacitos, cansada de parir versos aunque agonice en cada línea, en el silencio y en el susurro de esta puntuación de un futuro irreverente.

Escribo para escudriñarme en esta media luz aunque muera de miedo al mirarme, al reconocerme con dos polos, con más de un rostro, imperfecta y vuelta a reparar; indiscreta y tan llena de todo.

Y tú mi espejo rojo, reflejo que me anclas, me conviertes, me adviertes y me ajustas tan a tu medida en la mitad de este mar que a otros incomoda. ¡Y qué más da! si todo fluye y mi alma crece.

Fermina Ponce

TORMENTA

(L)una de sangre

No necesito nombrarla para sentirla, ni tocarla para percibirla.
Corrijo; si te toca en su más sutil movimiento,
te destroza en el piso,
                      sin alma, sin aliento.
Tantas formas en ella, tantos vestidos.

Viene en puños,
en caricias coloreadas de palabras llena de ampollas,
de brisas que parecen torrentes
y se hunden en la piel entrapada por el dolor encerrado en el desván.

Me sorprende pensar en ella,
somos víctimas de su sutileza o de su brutalidad,
de su morbosa fama,
de su indiferencia que golpea,
sin credo o con la exclusión del mismo por su incapacidad de ser.

¿Y quién te has creído, infame?
¿Cómo puedes vivir sin paz?

Estás perdiendo

La pierdes,
por la noche y la mañana,
tu palabra apareció sólo en ausencia,
en los detalles que se diluyen.

La pierdes en los besos que no llegan y se extravían en la calle,
en las caricias gélidas de tus ocho horas de trabajo,
en el mensaje que no termina de llegar.

Los días se sientan a ver la puesta de las cinco de la tarde,
tu rostro se hace cada vez más tenue,
                             y la pierdes,
el suspiro se distancia,
y ya no le duele esperar.

Golpe

Me golpeó la realidad tan contundente,
tan de frente,
tan a las once de la mañana,
sin café,
ni té,
ni vino,

de un golpe,
de un zarpazo
y ya.

Tregua

Sólo esta noche,
aunque sea sólo por esta noche,
una tregua sin bandera,
que no sangre ni desangre,
con la paz de tu voz y mi tonada.

Una tregua de palabras atadas entre lunas y heridas a medio sanar,
con un beso de "ya no duele tanto".

Sólo esta noche,
aunque sea una noche,
una tregua de "descansa amor",
para no seguir muriendo,
para no seguir matando,
para dejar de desaparecer.

Tregua

Nos mata

"Tout est perdonné. Je suis Charlie"
Charlie Hebdo . Journal Irresponsable.
Enero 14, 2015

Tú,
tan arreglada,
tan aristocrática,
a veces tan común y corriente,
tan de la calle,
tan sinvergüenza.

Y te atreves a aparecerte vestida con máscaras de tantos credos.

Peor aun,
caminas muy altiva con ínfulas de dama,
tomando partido en cualquier esquina
y muy parada en un extremo o lo que se te ocurra ser.

¡Pero qué cómodo te resulta ser blanco o negro y olvidarte de los
matices en los grises!
porque para ti la verdad absoluta sólo está al filo
que nos ahoga lentamente o de un garrotazo,
que nos calla las voces en el silencio o en el arte.

Ese filo que hasta al parir nos duele,
en el *ser* más profundo.

Yo, aquí,
tan desvestida de ti,
creyendo en mi Dios,
  un ser justo y generoso.
Y no soy quien para imponerlo.
Y no son ellos para imponerme al suyo.

Somos.

Tú,
que nos matas,
nos hieres,
nos quitas la calma,
nos robas la capacidad de vivir en compañía,
de celebrar diferencias y valorar puntos de vista,
así al final ninguno haya cambiado de opinión.

Tú,
tan ramera, tan rastrera,
¡cómo quisiera cambiarte el nombre en dos letras!
abrazarte,
llevarte a mi mar,
borrarte tanta estupidez compresa en la medula,
susurrarte paz al oído,
perdonarte y llamarte
~~in~~-TOLERANCIA.

Crimen

Asfixias mis alas,
mi "soy" tan ligero,
te arremetes en la noche
y cada palabra ponzoñosa,
sangra mis ganas.

Mi todo adormecido.

Quiero

… que mi todo se despoje de la miseria humana,
de la que come carroña en la vida del otro,
sin permiso,
con morbo,
esa que destruye sin piedad.

Que mi ser se niegue por completo a ser parte del punto seguido,
uno detrás del otro sin mirar atrás,
al grupo de ovejas que se tapan de blanco plateado,
finalmente negro siempre ha sido mi color.

Que mi piel no pierda la capacidad de estremecerse por el dolor
ajeno,
por el llanto de un niño con hambre,
por el grito de una mujer maltratada,
ni por las pesadillas que le quitan el sueño a ese hombre que mató
por la crueldad de la guerra;
tampoco por el susurro del anciano que murió de olvido.

Quiero que mi voz se pierda en llanto, lamento y frío,
que se revele ante la inercia de los otros y los míos,
de la abundancia y el exceso,
y la falta de tiempo para entregarse uno mismo:

así nos incomode,
nos dé miedo,
así la madre pierda el sueño,
o medio mundo esté en contra
y el otro apenas se esté preguntando ¿cómo?

Que todo mi ser sea la voz para mis hijos,
y les quite la venda de tanta miseria humana.

Rota

Tan rota,
tan a pedacitos,
quebrada y sin mi espejo,
alucinando entre el ombligo y mi gato,
de rodillas en sus besos
y sin respirar.

Un vestido de remiendos

Con mi vestido de remiendos color piel,
único,
tan Vogue,
tan Lady Gaga,
tan ridículamente doloroso,
implacablemente *"trendy"*
y es.

Con mi vestido de remiendos por aquello del *"I'm sorry"*.
¿Después de cada bofetada en el alma,
del rasguño imperceptible en el comedor,
por esa permisiva sociedad que amansó mi animal salvaje,
por esa manera de ser amada tan perfecta,
de su espacio con mi espacio no se mezclan,
de mi forma con su forma no conjugan pero todo está muy bien?

¡Qué vestido tan bonito!
Cubre las batallas,
en la arena o en la cama,
las salidas,
las llegadas,
el café frío en la mañana,
el beso en la frente,

ese *"what the fuck is wrong with you?"* en silencio
pero esa noche quiere hacerme el amor.

Me visto de remiendos,
parezco un mar tranquilo
y muero de desamor.

Parezco un
mar tranquilo
y muero de
desamor

Un vestido de remiendos

Gaza

No me interesan las estadísticas para saber cuántos niños han muerto en Gaza,
o en cualquier otro conflicto armado para explicarlo todo.
Uno, es un precio demasiado alto.

ALTO EL FUEGO, A ESAS PUÑALADAS QUE NOS HIEREN Y NOS MATAN.
Ya no lloren más mis niños,
cada lágrima es un tormento en el alma de sus madres,
se desbaratan por las noches y renacen cada mañana.
No le teman al fuego mis chiquitos,
acérquense a mi regazo,
a los besos de su nana.

¡Alto el fuego, por favor!

Injusticia

Vivirá con las promesas a cuesta,
la soledad en la calle,
el pasado entre las piernas,
las mentiras en el sombrero
y el horror en el pantalón.

Pobre perra faldera,
se venderá al mejor postor.

Espejo

Los temores del espejo se reflejan en mi cara,
en mi cintura gruesa,
halos y líneas inseguras sobre el valle de mi espalda.

¿Qué dudas podría tener una hembra tan entera,
escondidas en el miedo, entre estrías y niños paridos tan a tiempo?

Este cuerpo tan desnudo,
tan mío,
tan distante,
tan cercano,
tan amado a tu medida.

Esta coraza tan bella,
que se *enLuna* en tu Luna,
de estrellas en la noche,
con el arrullo del mar.

Ni una menos

A las mujeres víctimas de violencia
o cualquier acto de crueldad.

No me toques con los ojos,
con tu aliento,
ni con ese indiferente pensamiento,
no me sangres ni desangres,
no me ahogues,
mucho menos finjas una caricia en la mitad de mi flor arrancada
por tu lascivia.

No me mates,
ni desates.

No te atrevas a desearme sin permiso,
ni siquiera con un gesto sumiso.
Por una como yo respiras,
¿ENTIENDES?, ¡RESPIRAS!

No me susurres nada menos que perdones desgarrados de las entrañas
y promesas culpables por tu pequeñez humana.

No lo hagas.
Nunca más.

No sé si te pueda perdonar.

No preguntes

Hago preguntas a la nada.

                    No estás.

Camino con ganas constantes de amarte.

                        Me devolviste el amor.

¡Cómo hago!

Mejor no hago.
Mejor me voy.

NOCHE

Lunática

La muerte tiene que ser una mujer vestida de noche.

Lunática, frenética, impúdica, sigilosa,
susurra entre días y vientos,
cálidamente fría y abismalmente seductora.

Ella es "esa" con quien no hay cita previa.
Un baile en una sola baldosa,
tan apretaito que ni la respiración musita.
Una cadencia perfecta.
Un beso a tres golpes y con el último te entregas o te lleva,
sin tu querer.

Lunática

El silencio

¿Quién sabe de las voces del silencio?
¿Quién ha escuchado los tonos de su voz?

Hoy lo he escuchado cantándole a la parca,
solito,
con quejidos y sin lamentos.

Tomó aliento desde el fondo de lo profundo,
desde la entraña,
hasta las líneas rojas del mar.

Ha caído la noche y sólo escucho el *Nocturno No.9 de Chopin.*

Así es este silencio negro,
ausente,
nostálgico,
visceral.

No estamos,
el silencio llora,
se calla,
          y se va.

Desolación

No hay "Desconsuelo" más perfecto,
que el tallado por las manos de José Llimona (1864-1934)
Museo del Prado, Madrid, Verano del 2015.

Allí,
abatida sobre el frío,
con su sexo gélido,
desolado,
el llanto seco de soledad,
y el alma muerta
     de desconsuelo.

Señora muerte

Me acurruco en el silencio,
me apurruño en el olvido,
me hago fuerte entre tú sin yo

                    y la nada en la mitad.

Mar

Dura tengo esta piel,
parece cuero tallado,
ya no sangra,
se ha oscurecido a punta de caracolas,
las calaveras silban en cada ola,
y la marca del fuego ya no deja cicatriz.

Dos

I.

La diferencia entre el cielo y el infierno está en las nubes.

Sin zapatos,
mi alma se quedó caminando en algodón.

II.

Llenémonos de nostalgias inhabitadas,
desvestidas de duelo,
alargadas por las cuerdas templadas de la locura,
en fracciones de silencios sin aliento,
con la luna roja a nuestra espalda,
irnos y no volver.

Pocos, muy pocos

Sólo pocos,
muy pocos
          esperan,
en la mitad de la distancia,
en el silencio de la duda,
como cuerpos contraídos entre el vértigo y la noche,
como lunas y mareas atraídos por la nada,
como gatos con su espejo,
sin caricias enlazadas.

Sólo pocos,
muy pocos
          esperan,
sin certezas, ni mañanas,
hilvanando versos inventados entre un trago amargo de poesía,
corroyendo las miradas verdes,
caídas sobre una piel blanca,
recordándome las noches de humo entre sábanas compartidas.

Somos pocos muy pocos
y *esperamos*
tú
y
yo.

Pocos, muy pocos

LUZ

Libre

No me cortes las alas,
ni me pongas contra la pared,
ni hagas que las palabras se vuelvan en mi contra,
ni que los espacios se llenen de culpas,
ni que la dulzura pierda su aroma,
ni hagas que las sonrisas se confundan en su norte
o en la arena apelmazada en el mar,
porque así,

               no voy a estar.

Alas

Salí de la jaula con las alas rotas,
atrofiadas,
con un lejano recuerdo de cómo volar.

Un espejo,
ese reflejo desconocido,
empañado,
sucio,
prestado,
ajeno y en piel propia,
tan mío, tan de otros y sin mi nombre.

Me acurruqué en silencio,
en la puerta de oro de mi jaula,
dudando,
pensando,
doliendo,
con culpa.

Me cubrí de plumas,
de miedo,
de las vidas que otros vistieron en la mía.

Me desnudé frente a un lobo por vez primera,
le quité el cuero a tanta piel fresca,
me arropé con su brillo púrpura,
sin explicaciones volé.

Por primera vez fui.

Uno

Voy a caminar descalza,
sin ataduras en los tobillos,
ni peso en los hombros empujándome hacia lo opuesto.

Voy a caminar liviana,
sin ecos en los oídos,
ni sombras que me persigan por la espalda.

Voy a caminar de frente,
con los ojos en la distancia,
el amor en lo posible y el corazón en el vientre.

Un paso a la vez.

Uno.

Eres

Así no estés,
así te cubras,
así te vuelvas tácito e invisible.

Eres,
como un pronombre que no es y tiene letras,
como la sal que toca la punta de mis senos,
y los lunares en tus dedos.

Eres,
así me quede sin vida para nombrarte otra vez.

Eres

Como si fuera un poema

Cuando camino hacia ti y me miras,
todo queda dicho en tu silencio,
en tu sonrisa
y en tu mano extendida.

Cuando te abrazo como si fueras un niño,
descansan tus demonios en mi pecho,
tus ganas en mi ombligo
y tus sueños en mi ser.

Uno,
somos uno,
penetrados en tu piel y con mi deseo fundido en la noche.

Somos,
hasta que dejamos de ser.

Haciéndonos

Nos hicimos pausa y zancadillas,
viento y besos agigantados en rutas de polvo,
levantados por los ánimos.

Hicimos piruetas detrás de una ventana,
cerca a una calle con el nombre de la luna,
eco de noche al mediodía,
voces de "dormiremos un poco más".

Nos hicimos triquiñuelas.

Nos hicimos magia,
pisada tras caricia sin velos,
ni cortinas.

Nos hicimos un poco más que versos,
algo similar al amor.

Azul

Vestida de tu azul
de pies a cabeza,
desde mi vértice hasta mis círculos de ser mujer.

Brillante en la piel,
de poro a poro,
indeleble azul.

Desde la medula impredecible pensamiento,
de puntillas,
de rodillas en los besos,
indeleble azul.

Vestida de tu azul,
madrugada bogotana,
atardecer carioca puro,
arena entre los dedos,
tú, mi indeleble tú.

Suspendida

Me quedé suspendida,
entre líneas arrinconadas por la prisa de la mañana,
tejida entre calles viejas,
aguda,
sagaz,
en la comedia perfecta,
tan humana.

Quedé atrapada en el color primario,
en el olor dulce de su piel,
en el mapa astral de sus besos,
en la línea recta hasta su punto y acento,
en el llanto profundo,
intenso,
plateado,
sostenido y prolongado,
sacado de sus versos desconocidos,
ajenos, tan míos.

Suspendida en el límite,
con un pie aquí
                    y un octavo de silencio allá,
en mi lugar,

anclada,
libre con él,
sin estar.

Hilos de plata

Te deslumbra la fachada,
la libertad de mis ojos,
la sonrisa color perla que sale irreverente de mi cara.

Te atraen mis palabras,
los espacios entre ellas,
las cadencias del silencio que las une y las separa
y te dejan ver el brillo de una hembra
        a luz media.

Te seduce la caricia en la bañera,
el beso en tu brazo en plena madrugada,
ese "hazme tuya" sin palabras,
o "abrázame" entre tus piernas.

¿Y si abres los cajones que se ocultan debajo de mi pelo?

Ahí están mis demonios,
los fantasmas de mis noches,
las imperfecciones de mis días de rodillas bajo el agua,
gota a gota,
sin salida.

Ahí se esconden las fisuras,
las grietas,
cada cosa,
sólo luz,
mare tranquillitatis.

Te seduce
la caricia
en la bañera,
el beso
en tu
brazo
en plena
madrugada

Hilos de plata

MARE tranquillitatis

Ese extenso mar lunar,
mi espacio del primer alunizaje,
mi brillo extendido de sus manos a mis alas,
el tiempo a mi cadencia,
la velocidad a mi tedio,
la extensión a mi palabra.

Ese extenso llano pleno de ires y venires.

Esa paz.

Índice